F. H. Beens

Gefangen im Vaterland

F. H. Beens

Gefangen im Vaterland

Kleine Prosa

Projekte-
Verlag

Impressum

1. Auflage
Satz und Druck: Buchfabrik JUCO GmbH • www.jucogmbh.de

© Projekte-Verlag 188, Halle 2006 • www.projekte-verlag.de
ISBN   3-86634-103-4
Preis: 7,00 EURO

INHALTSVERZEICHNIS

GROSSMUTTERS GOLDENE DAMENTASCHENUHR

Es war wirklich ein Juwel, das singvogeleigroße rotgoldene Stück, mit der zierlichen Emaillescheibe, auf der zwölf verschnörkelte Goldziffern, ein großer und ein kleiner rotgoldener Zeiger, gefertigt in feinsten Filigranarbeiten, hafteten. Und eine dünne lange rotgoldene Kette, ebenfalls meisterliche Goldschmiedekunst, gehörte dazu.

Meine Großmutter hatte mir die außergewöhnliche Uhr geschenkt, als Talisman. Ich hatte die feldgrauen Hosen angezogen, um Angst und Vogelfreiheit, Verblödung und Mordlust in Kauf zu nehmen. Die Uhr sollte mich beschützen.

Ich marschierte, beschlagen mit der Blindheit einen Kalbs auf dem Schlachthof, nach einer Militär-Kaserne, in deren Schuppen ein Haufen veralteter Sturmgeschütze, die mit den Stummelkanonen, herumstanden.

Die Kaserne machte sich klotzig und drohend am Rand eines verschlafenen Nestes mitten und noch wohlbehalten, unversehrt im zertrümmerten Deutschland breit. Ringsum, in nur wenigen hundert Kilometern Entfernung, hatten „andere" das Sagen und kamen stetig näher. Der Krieg war eigentlich schon zu Ende, konnte nur noch wenige Tage, wenige Wochen, wegen der Beschränktheit der Verteidiger, dauern. Es war Ende März 1945! Das war die Lage, während der ich Großmutters rotgoldene Damentaschenuhr in meiner rechten Hosentasche mit mir herumtrug. Es war an einem Sonntag, nachmittags gegen 16 Uhr. Ich hatte Ausgang, verließ die Kaserne, ging auf die Asphaltstraße, die von der eintönigen Landschaft in das verschlafene Nest führte. Immerhin an die 500 Meter hatte ich zu gehen. Es kamen die ersten Gebäude, ausdruckslose, zweistöckige Reihenhäuser, auch hin und wieder mal ein Einfamilien-Eigenheim, geerbt vom Großvater, der's von seinem Großvater schon erbte, was man dem Erbstück ansah.
Wohin sollte ich mich wenden?

Fad war der Anblick der Straßen, Gassen, Kreuzungen, der Häuserzeilen, der dürren Alleen-Versuche, nichts Halbes und nichts Ganzes. An den beiden Kirchen dieser Leute ging ich auch vorbei – eine katholische und eine evangelische. Das sah ich an den beiden Kirchturmspitzen, eine mit einem Kreuz, die andere mit dem Hahn als Wetterfahne. Ein Rathaus sah ich nicht, aber eine Art Heimatmuseum hatten sie; war ein ziemlich morsches Fachwerk, hatte wohl kaum Besucher, Fenster trüb und ohne Gardinen, nichts bewegte sich dahinter, konnte ich mir sparen. Ein trostloses, verlassenes Kaff, dieses Nest.

Endlich stand ich vor einer Kneipe, erkenntlich an dem über der Tür hängendem Blechschild „Zum grünen Kranz", mickriges Ding. Eine wurmstichige grüne Tür und ein Fensterchen, von dessen Rahmen die weiße Farbe abgeblättert war. Ganz nach erprobter Gewohnheit zog ich Großmutters rotgoldene Damentaschenuhr aus meiner rechten Hosentasche, obwohl es kein Mensch weit und breit sah; ich hatte noch massig Zeit.

Das Rumtrödeln hatte mich durstig gemacht. Ich ging in die Kneipe. Zwei Landser saßen am Berliner Ofen, der zu dieser Jahreszeit schon kalt war. War Heizmaterial knapp? Oder hatten sie hier keinen, der sich darum kümmert? Die beiden Landser süffelten ihr Bier, sahen aus wie Etappenhengste, ohne Klempnerladen und Lametta. Der zweite Tisch war leer.

Aber hier vorn, gleich neben der Tür, am Fenster, nur drei Tische hatte die Kneipe, saß jemand, der wie ein Fremdkörper wirkte, der nicht hierher gehörte, da konnte ich wetten. Ein Mädchen! Im gleichen blöden Alter, weit unter zwanzig, wie ich. Herrliche große dunkelbraune Augen. Passend dazu die Haare. Apartes Gesicht. Tolle Figur. Ich nahm es wahr in Sekundenschnelle. Und in Sekundenschnelle leitete ich Bekanntschaft und den dazu nötigen Dialog mit der unvermeidlichen Frage ein: „Ist es gestattet?"

„Bitte."

Es entstand die natürliche Pause – in solchen Fällen üblich. Dann wurde auf beiden Seiten der Wunsch akut, zur Sache zu kommen.

„Was möchten Sie trinken?"

„Ach ... Sie sind ... ich dachte ... ein Bier, bitte."

Sie ging an die Theke, schenkte gekonnt ein Glas voll mit schäumendem Bier, kam zurück, stellte das Glas vor mir auf den Tisch und setzte sich wieder zu mir. Es folgte eine lächelnde Pause, gewürzt mit einer Prise Verlegenheit. Dann sprach sie; Glockentöne perlten voll und dunkel aus ihrem entzückenden, lebensfrohen Mund. Ich rückte in ihren verzückten Taumel; und das in dieser Zeit!

„... ich mach' das nur für ein paar Wochen ... gehört meinem Onkel ... hat sich vor einem Monat den rechten Fuß gebrochen ... Knöchel ... knacks ... ist schon ziemlich alt ... 70 ... Alterssturheit ... stieg in den Bierkeller ... um ein neues Fass anzustechen ... rutschte von der Leiter ... viel zu steil ... alles viel zu eng hier ... Bruchbude ... aber sauber ... ordentlich ... sonst wohne ich drüben ... in der großen Stadt ... da sieht's schlimm aus ... alles zertrümmert ... natürlich auch unser Gymnasium ... na ja ... lange kann's ja nicht mehr dauern ... dann muss ich wieder in die Schule ... ist die schöne Zeit vorbei ..."

Es machte sich wieder eine Pause breit, typische Reaktion beim ersten Beschnüffeln, aber schon recht ungeduldig. Die Spannung knisterte merklich. In meinem Gehirnkasten tobte bereits nur noch ein einziger Gedanke, der alles um sich an die Wand klatschte. Kontrollierende Mäßigung war jetzt nicht mehr gefragt.

Ich lehnte mich zurück, zog mit bedeutungsvoller Geste, statt es runterspielend und tiefstapelnd zu versuchen, Großmutters rotgoldene Damentaschenuhr aus meiner rechten Hosentasche und starrte mit verschleierten Augen auf das zierliche Ziffernblatt.

„… sie ist wie der Henker … unerbittlich … sie schiebt meine Zeit an den schon nahen Abgrund … und ich … bin kein Mädchen … bin ein armseliger Junge … Kanonenfutter … meine Zukunft hat keinen Neubeginn … mich verschlingt das letzte Grauen … das unweigerlich kommen wird … noch fünf nach zwölf …"

Mit frevelhafter Leichtfertigkeit, die an blöden Stumpfsinn, an stumpfsinnige Blödheit grenzte, setzte ich, wie ein Hasardspieler, meine eigene Zukunft ein, um zum Ziel zu kommen.

Mit unwirscher Selbstgefälligkeit steckte ich Großmutters rotgoldene Damentaschenuhr in meine Hosentasche und schickte einen geheuchelten Blick unermesslicher Traurigkeit hinüber.

Das Mädchen sah mich mit ihren tiefdunklen, weit aufgerissenen Augen an. Tränen flossen über ihre apfelfrischen Wangen. Die Stimmung war jetzt komplett. Da drohte hinter ihr eine raue Männerstimme: „Fräulein! Zahlen!"

Es wirkte wie eine kalte Dusche. Ein Faden riss ab.

Wie aufgeschreckt stand das Mädchen auf, ging zu den beiden dreck- und staubfreien Etappenhengsten, kassierte und steckte das bisschen Hartgeld in einen Lederbeutel, der ihr wie bei den Marketenderinnen der Landsknechte um die Hüften hing.

Da kam sie wieder!

Sie ging an mir vorbei!

Was tat sie?

Sie schloss die wurmstichige Kneipentür zu!

Dann steckte sie den Schlüssel gewissenhaft in ihren Lederbeutel, fuhr sich noch einmal ordnend durch ihr wuscheliges mittelblondes Haar und stand schon mit blitzenden Augen vor mir.

Ich zog mit gönnerhafter Geste Großmutters rotgoldene Damentaschenuhr aus meiner rechten Hosentasche, sah konzentriert auf das Ziffernblatt und war vollauf zufrieden.

„Ich hab noch 'ne Masse Zeit."

Selbstgefällig steckte ich meinen rotgoldenen Talisman wieder in das Sackleinen meiner feldgrauen Kommisshose. Nun sah ich sie verträumt an, was sie ermunterte, frisch „von der Leber weg" zu plappern.

„Komm mit!"

Während ich ihr folgte, spürte ich, wie sich mein Leibesthermometer zwischen Rippen, Bauchfell und Steißbein enorm mit seinem Quecksilber aufregte. Wir stiegen eine enge, steile Stiege hinauf. Sie vorn, ich dicht hinter ihr. Mein Gott, die hatte Waden! Und weil sie ein kurzes Kleidchen trug, sah ich ... es war nicht zu fassen! – Obwohl mich nach Fassen verlangte! Schon standen wir in ihrer Kammer. Nun ging's ganz schnell; war ja zu erwarten, war schon immer der Lauf der Welt!

Unverwandt sah sie mich an. Ich sah sie auch an, konnte es aber nicht unterlassen, zu meinem späteren Unglück nicht unterlassen, Großmutters rotgoldene Damentaschenuhr aus meiner rechten Hosentasche zu ziehen.

Aber ich vergaß, auf die Uhr zu sehen, gebannt von einem verheißungsvollen Anblick. Sanft legte ich Großmutters rotgoldene Damentaschenuhr auf das Tischchen neben mir und tat, was jetzt zu tun war.

Ich knöpfte meine Jacke auf, zog sie aus und ...

Weiter kam ich nicht!

Das Mädchen war schon dabei, ihr Hemdchen abzustreifen, streifte es ab, ließ es fallen.

Aber ich verharrte und war regelrecht erschlagen. Der Anblick veranlasste mich, mich nicht weiter auszuziehen.

Sie hatte keine Brüste!

Da war nur knabenhafte Plattheit. Flach. Wie eine Wand. Wie eine tapetenlose Zementwand. Und kalkweiß angestrichen.

Wortlos zog ich wieder meine Jacke an, knöpfte sie zu, stieg die Stiege runter, fand die wurmstichige Kneipentür natürlich geschlossen, ging in die Küche, von dort auf den Hinterhof, durch einen schmalen Gang und war schon auf der Straße. Ich ging mechanisch, mich trieb die Enttäuschung. Schon war ich wieder in der Kaserne.

Der militärische Alltag lenkte mich Gott sei Dank ab, obwohl die elende Schleiferei für den noch immer eingebildeten Endsieg alles andere als ein Vergnügen war.

Am nächsten Tag, während einer der unvermeidlichen Schleifpausen, weil sich der schleifende Obergefreite heiser gebrüllt hatte, griff ich in meine rechte Hosentasche, um Großmutters rotgoldene Damenta...

... ich grabschte und fummelte, schüttelte und zerrte vergebens! Die Tasche war und blieb leer!

Der heiße Schreck half mir auch nicht, ich musste bis zum nächsten Ausgang am Wochenende warten!

Es wurden grausame Tage! Ich dachte unentwegt an Großmutters rotgoldene Damentaschenuhr, überhörte Kommandos, die der Obergefreite brüllte, reagierte meist mit Spätzündung. Ich hatte schließlich unverschämtes Glück, dass ich gerade mal so am „Bau" – strafexerzierend – vorbeischrammte!

Dann war wieder Sonntagsausgang. Endlich!

Schon rannte ich durch das Kasernentor nach draußen, stand keuchend schon vor der windschiefen Kneipe. Ich zögerte nur kurz, brachte durch tiefes Durchatmen mich, meine chaotische Verfassung auf Vordermann. Forsch trat ich ein.

Sie saß wieder am ersten der drei Tische, direkt am Fenster und hatte mich wohl schon gesehen. Sie war allein, die spärliche Kundschaft kam wohl erst später.

Sicherheitshalber verschloss ich alle mich jetzt bremsenden Gefühle, wurde ausgesprochen unpersönlich, vergaß den Gruß beim Eintritt.

„Ich hab meine Uhr vergessen, hm, liegenlassen ... liegt oben auf dem Tischchen ... hm ... in der Kammer ... hm ... vor einer Woche ..."

Wie sich Augen verändern können ... Das liebevolle Dunkelbraun war einer Stahlhärte gewichen. Sie sah mich nicht an.

„Uhr?"

Mein Mund trocknete ein, der Gaumen wurde spröde; entsprechend sprach ich: „Rotgoldene Damentaschenuhr ... mit rotgoldener Kette ... hm ... von meiner Großmutter ... hm ... mein Talis..."

Ihr spöttischer Blick traf mich wie ein Peitschenhieb.

„Nicht hier. Liegt nicht hier."

Dann überschattete tiefe Traurigkeit ihren Blick. Sie hielt die Kälte nicht durch und wandte sich ab. Leise erreichten mich ihre Worte, wehten wie ein Hauch an mir vorbei.

„Großmutters rotgoldene Damentaschenuhr ist nicht hier."

Es endete im triumphalen Spott, gefolgt von einem gleichgültigen Blick, der sich von mir abwandte.

Unbeschreiblich, wie mich das traf. Die gepfefferte Backpfeife brannte noch lange auf meiner kümmerlichen ... wie hieß das doch gleich ... ach, ja ... Seele! Nicht nur auf meinem luftleeren Gang zurück nach der Kaserne ... Wehmut nach dem materiellen Verlust blieb für lange zurück. Scham verdeckte die Erinnerung an meinen Talisman.

In Alpträumen erschien sie mir immer wieder – Großmutters rotgoldene Damentaschenuhr an einem rotgoldenen Kettchen.

Verlobung auf der Tenne

Des Reiches Hauptstadt versank in ihren Trümmern, mit letzten Atemstößen rauschte sie in den Untergang, wie ein Schiff kielvoran in brandender See. Hitler war tot. Es ging nur noch um Tage.

Wir, ein durcheinander gewürfelter Haufen, eine Art Kompanie, die sich immer noch „Batterie" nannte, weil wir Sturmgeschützler waren, Angehörige der Division „Scharnhorst" in der Armee Wenck, lagen südlich Berlin, hatten den Auftrag, den „Führer" zu befreien. Das war ja nun Schnee von gestern, erstaunlich schnell abgehakt und mühelos vergessen. Wir waren weder Fisch noch Fleisch, befanden uns regelrecht im luftleeren Raum. Nur noch wenige Bornierte, mit festem Beton in hohlen Schädeln, glaubten an eine Wende, an den Endsieg. Die meisten dieser Traumtänzer waren jung, vielleicht schon verdorben für ihr womöglich weiteres Leben. Auch einige unverbesserliche Alte, die sich nicht vom verblichenen Gestern lösen konnten, standen rum mit glasigen Augen und grübelten fieberhaft, wie sie ihre Zukunft, falls sie hier heil rauskämen, erfolgreich in den Griff kriegen würden. Wir anderen, die die brutale Realität begriffen hatten, wagten keine Äußerung über die militärische und politische Lage; sie wäre defätistisch gewesen. Und die Feldjäger waren noch hysterisch aktiv. An manchen Bäumen baumelten Unvorsichtige oder gar wirkliche Helden. Die Spannung war eigentümlich. Wir befanden uns im eigenen Land, das einmal „Vaterland" und jetzt ... ja, wie hieß es jetzt?

Die komplette Lethargie beherrschte alle, Soldaten wie Zivilisten. Die meisten Gebiete dieses „Vaterlands" waren in der Hand der übermächtigen Feinde. Und wir, alle, auch die mit dem braunen Beton in hohlen Köpfen, wir alle wollten nur mit heiler Haut davonkommen. Anderes dachten wir letzten Endes nicht.

Die Tatsache, dass von Deutschland nur noch elende, lächerlich kleine Kleckse übrig geblieben waren, wirkte wie der betäubende Schlag einer Keule gegen den eigenen Schädel; wir bekamen Platzangst, im wahrsten Sinn des Wortes. Auch die Landschaft, die Gegend, in der wir uns aufhielten, wirkte fremd; nichts, aber auch gar nichts war noch vertraut, gewöhnlich, im guten Sinne. Erinnerungen an andere, ähnliche Gegenden – aus Kindertagen – waren erloschen. Wir lagen in einem Straßengraben am Dorfrand. Hinter uns standen die letzten Häuser, stattliche Bauerngehöfte. Vor uns erstreckte sich, in Obstbaum-Alleen gefasst, es waren Apfelbäume, eine gewundene, im fernen Horizont versinkende Landstraße. Links und rechts davon lagen nur Wiesen, eingezäunt für Pferde und Kühe, die jetzt in Ställen auf sichere Zeiten warteten. Die ganze Gegend sah sauber und adrett aus, geordnet von fleißigen Landwirten. Friedlich und unangetastet. Und still, mäuschenstill war's an diesem Tag, der auch als einer der denkwürdigen Maitage dieses Jahrhunderts galt.

Da lagen wir im Straßengraben, rochen das taufrische Gras, rochen selbst nach Erde und warteten – in fast jeder Hinsicht – auf das Ende.

Unsere Kompanie hatte rings um das Dorf Stellung bezogen; unser Haufen, um die zwanzig Soldaten, in noch vorbildlich feldgrauen Uniformen, trotzdem sahen wir aus wie Schwerverbrecher in Häftlingsklamotten, wir waren um diesen Dorfausgang, der nach Osten führte, in dünner Kette postiert. Unsere Fahrräder hatten wir auf dem letzten Bauernhof abgestellt. Jeder von uns musste zwei Stunden auf Posten stehen. Wer frei hatte, gammelte durch die Ställe, durch die Scheune, lungerte in irgendeiner Ecke des Hofs, schnarchte im Schatten des Holzverschlags für Gartengeräte und Schleifstein. Unsere Maschinenpistolen, Sturmgewehre, Karabiner, Handgranaten und Panzerfäuste mussten wir immer mit uns herumschleppen, um jeder Zeit gegen die Flut der Sowjetpanzer, Sowjetflieger, Stalinorgeln, Ratschbums und Rotarmisten gewappnet zu sein.

Also, wir lagen am Rand des Dorfs, im letzten Bauernhof, ziemlich stattlicher Betrieb. Erbhof. Noch vor dem Dreißigjährigen Krieg. Sechs schwere Ackergäule, Belgier, saubere Anlagen. Musterbetrieb. Kurz vor Ausbruch des Krieges von Grund auf erneuert. Der 60-jährige Bauer, klein und sehnig, überblickte stolz sein Anwesen.

Stille war um uns. Hier im westlichen Vorfeld Berlins. Nichts vom Krieg. Auch keine anderen zivilen Tätigkeiten. Alle Tiere waren in ihre Ställe gesperrt. Auch die Hühner. Es war gespenstisch. Und wunderschön war dieser Maitag. Warm. Nichts, rein gar nichts vom Krieg. Wie im Manöver höchstens. Weit und breit.

Sonnenschein übergoss das Land mit einem goldenen Schleier. Wolkenlos war der Himmel. Und angenehm warm war's. Ich hatte meine Wache hinter mir, lungerte auf dem Hof wie ein Spaziergänger, knöpfte meinen Waffenrock auf und behielt dabei, wie befohlen, das Sturmgewehr schießbereit in meiner rechten Hand.

Die Stille berührte mich, versetzte mich in eine wundersame Stimmung, wie man sie, nach meiner Vorstellung, in Erwartung eines bräutlichen Festzugs, beim verliebten Stelldichein auf einsamen Heidefeld empfand. So roch ich die Stille.

Das monotone, dumpfe und harte Brummen der Sowjetflieger war dieser Stille gewichen. Eigene Flugzeuge gab es schon lange nicht mehr. Vor Tagen sah ich auf einem Acker die Reste einer deutschen Maschine, wohl abgestürzt. Eine Me 109. Die Fäuste der russischen Artillerie schlugen und hackten nicht auf uns ein; wir hatten hier irgendwo zwei Feldhaubitzen. Kein schleichender oder brüllend stürmender Rotarmist schoss mit seiner MP die zwitschernden Kugeln auf mich. Es herrschte hier tiefster Frieden; der Krieg hatte sich ausgetobt, schwappte aus, zerrann wie die Flut hin zur Ebbe. Alle Welt schickte sich an, nun wieder ruhig Atem zu holen. So glaubte ich, obwohl noch immer Krieg war und sich die Russen keine zwanzig Kilometer von mir aufhalten mussten.

Keine Menschen gingen drüben auf der Straße. Das Dorf wirkte wie ausgestorben. Nur unser feldgrauer Haufen lümmelte hier herum.

Ich saß auf einer schmalen Holzbank. Die ins alte Brett gestanzten Ringe verrieten, dass der Bauer hier seit Jahren jeden Morgen seine schweren Milchkannen abgestellt hatte, damit sie vom gemeindeeigenen Milchwagen abgeholt und nach der im Nachbardorf stationierten Molkerei geliefert wurden. Über mir schwirrten in kühnen Schwüngen die Schwalben durch den hohen Torbogen. Tatenlos, gedankenlos, mehr in Richtung Stumpfsinn saß ich, das Sturmgewehr lehnte neben mir an der Hauswand.

Ich betrachte die Gegend, begann die Apfelbäume beiderseits der Landstraße zu zählen. Bei 30 hörte ich auf, weil die Stämme der weit nach Osten führenden Allee für meine Augen ineinanderflossen, mucksmäuschenstill war es um mich.

Wo war die Front?

Irgendwo dahinten im Osten!

Tiefer Friede war um mich; hier stand noch ein Stein auf dem anderen.

Hin und wieder gingen Bauersleute, Angehörige der Familie, Tagelöhner, Knechte und Mägde über den Hof. Sie gingen eilig, trugen Körbe, Eimer, Kannen, Koffer, Taschen, Beutel, hölzerne Bottiche, Säcke. Sie kamen und gingen, gingen und kamen. Von der Küche nach dem Hühnerstall, vom Backofen nach dem Kuhstall, von der Waschküche nach dem Schweinestall oder umgekehrt. Auch nach und von dem Pferdestall, nach der Scheune und nach dem Holzschuppen.

Unsern herumlungernden Haufen beachteten sie nicht. Es sah aus, wie an einer Strippe gezogen, wie auf ein geheimes Kommando hin.

Da lief die Tochter des Bauern an mir vorbei. Hübsches Mädchen. Gar nicht bäuerlich, ländlich. In meinem Alter, ungefähr, natürlich jünger. Sie trug ein rotgelbes geblümtes Kleid, ein richtiges städtisches Frühlingsfähnchen, mit strammen Waden unten dran.

„Papa will hier bleiben. Mama will nach Westen über die Elbe. Wir packen. Der schöne Hof ..."

Vor dem großen säuberlich geformten Misthaufen trafen sich Vater und Tochter; heftiger Wortwechsel zwischen beiden. Sie fuchtelte mit den Armen und rannte in die Küche. Er verschwand vor sich hin nörgelnd im Pferdestall.

Ganz plötzlich wurde es auf dem Hof lauter, erregter, gehetzter. Die Bauersleute trugen, schleppten Gegenstände nach der Scheune. Ich konnte nicht genau erkennen, was sie taten.

Das Scheunentor stand sperrweit offen; ganz vorn auf der Treppe dampfte ein Kupferkessel, auf einen kleinen vierrädrigen Karren montiert. Dahinter hatten sie Gartenbänke und einen langen Bierzelt-Tisch aufgestellt.

Dann kam die Tochter wieder zu mir. Sie ging zielstrebig, so, wie man im Zoo auf einen besonders stattlichen Zebrahengst zusteuert, um ihn leichtsinnigerweise zu kraulen. Und ich sah sie mir genauer an.

Sie war wirklich ein hübsches Persönchen. Viel zu schade, fehl am Platz für das Leben auf einem Bauernhof. Und sie sprach lebhaft zu mir, dass mir ganz anders, zebrahengstlich wurde.

„Papa lädt euch ein. Wir haben heute früh ein Schwein geschlachtet. Großes Festessen, Henkersmahlzeit, auf der Tenne. Für alle!"

Schon war der bunte Kleiderfetzen an mir vorbei. Das Fähnchen wehte aufmunternd, hatte aber einen Blickwechsel, der es in sich hatte, mir hinterlassen. Schließlich war ich ein ganz nettes Kerlchen.

Und es wurde ein Bild wie von Brueghel ...

Im Kupferkessel brutzelte eine fette Suppe, es roch nach Schweinefleisch und Bouillon, Lauch und Petersilie, Mohrrüben und Knoblauch, Blumenkohl und Sellerie, Pfeffer und Salz, Liebstöckel und Majoran, Basilikum und Bärlauch. Obendrauf stiegen Maggi-Dünste hoch, gespeist aus einer Großflasche, vermengten sich mit dem festen Stroh- und Heugeruch auf der Tenne, wallten um das ganze Gehöft.

Wir, nun fettig eingenebelt, schleckten, total entwöhnt, an der derartig geschwängerten Luft, warteten ungeduldig auf den Startschuss, Feldwebels Kommando zum großen Fressen und Schlürfen.

Dann saß endlich alles auf den Bänken auf der Tenne zwischen Stroh und Heu.

Ich saß am hintersten Ende, schon halb ins Heu gedrückt. Vor mir dampfte aus dem Kochgeschirr der himmlische Fraß und benebelte mich. Erinnerungen an die Schlachtfeste bei meinen Großeltern stiegen mit den Düften hoch und ließen alles um mich, auch den im Hinterhalt sich duckenden Krieg, vergessen.

„Na, das schmeckt, was?"

Ich brummte nur, nahm den Löffel und schlürfte die Köstlichkeit, ohne weiter auf die Mädchenstimme hinter mir zu achten. Beinahe hätte ich mich verschluckt, denn etwas Weiches, Warmes schob sich von der Heuseite her neben mich, setzte sich auf die Bank. Nun saßen wir beide wie ein Mensch, so fest aneinander gepresst. Es geschah ohne Hintergedanken – die Enge auf der Bank war die Ursache.

Laut ging es zu. An die zwanzig Landser fraßen und lachten über ihre hemmungslosen, derben Witze. Mir wurde es peinlich, wegen des Mädchens, was mir sonst überhaupt nicht eingefallen wäre. Aber unbekümmert sprudelte es neben mir.

Weit weg war der Krieg.

„Ich hab's gewürzt!"

„So?"

„Ja!"

„Hm."

Dann schwiegen wir ein Weilchen. Sie sah mir beim Schlürfen zu. Die gegenseitige Körperwärme machte uns unmerklich vertrauter. Und ich wurde dreister.

„Schmeckt prima!"

„Henkersmalzeit."

„Muss nicht sein."

„Wieso?"

„Es kommt darauf an, was du willst."

„Ich?"

„Wieso?"

„Dein Papa will den Hof nicht verlassen, auch nicht, wenn die Russen kommen. Und die kommen, wie das Amen in der Kirche."

Die Atempause entstand weniger aus Verlegenheit. Unserer kurzen Beziehung, bei Beibehaltung der gegenseitig angehauchten Körperwärme ... Hitze, mangelte alltägliche Vertrautheit. Beide machten wir ganz neue, alle Sinne raubende Erfahrungen. Und das Schlürfen, das Klappern der Löffel in den Kochgeschirren, noch übertönt von witzelnden rauen Männerstimmen, die ihr Brüllen und Grölen in Jahrmarktstimmung hinaustrompeteten, machten unsere Abgeschiedenheit von den anderen perfekt.

Aber jetzt wurde sie von der uns beide beherrschenden Unruhe getrieben.

„Mama und ich ... wir wollen ... wollen weg ..." Ich unterbrach sie ziemlich grob, weil mich eine zielstrebige, noch nie erlebte Wallung ins unbeherrschte Wollen, Müssen trieb.

„Deine Mama! Deine Mama! Wie stellst du dir das vor! Deine Mama! Soll ich mich mit deiner Mama verloben? Um sie bei uns im Tross womöglich zu verstecken? Wenn wir nach dem Westen zu den Amis und Tommys über die Elbe abhauen? Und das tun wir! Das ist so klar wie das Amen in der Kirche!"

Unvermittelt, wie eine direkte Antwort, spürte ich an meinem rechten Oberschenkel den Druck eines anderen Oberschenkels, der mir glühend heiß und weich schien. Die Geräusche um mich, das Schlürfen, laute Lachen und Klappern der Kochgeschirre, waren, obwohl hautnah, in weite Ferne gerückt. Des Mädchens Stimme lispelte flüsternd und kam bei mir so dröhnend an, dass meine Sinne betäubt wurden.

„Könntest dich doch mit mir verloben?"

„Ich?"

„Du."

„Mit dir?"

„Mit mir."

Das war der zu erwartende Paukenschlag. Was der zarte, verführerische Mädchenmund flüsternd sprach, machte den Krach eines Orchesters. Und sie setzte nach.

„Magst mich nicht?"

„Dumme Frage. Wir müssen uns sofort verloben! Morgen sind wir hier schon weg."

Ein Erdrutsch rauschte ins Tal, Hochwasser schwappte über, Dämme brachen, es kochte ihr Schoß.

„Gib mir einen Kuss!"

Das war schon ein Hammer, der Schlag einer Keule. Ich musste schlucken, in meinen Ohren rauschte es, vor meinen Augen senkte sich ein Schleier. Ich begann, zwischen Anstand und Sitte, zwischen Gier nach Beute und ehrlicher Leidenschaft zu taktieren.

„Vor den andern? Dein Vater guckt schon."

„Küss mich!"

Heiß schoss Ungewisses meinen Rücken hoch und runter. Mir wurde klar, dass es jetzt, wo die Dominosteine einer nach dem andern fielen, um meine Männlichkeit ging. Ich war 18 und wollte keine Blamage, wusste auch, was jetzt blamabel war. Ein noch nie erfahrener Stress schüttelte mich.

„So geht das nicht! Ein Kuss ist keine Verlobung."

Es gab kein Halten mehr, wieder kippte ein Dominostein, kullerte die Lawine den Hang hinunter.

„Auf dem Heuboden. Im Pferdestall ist auch eine Leiter ins Heu."

„Gehen wir einzeln. Erst du, dann ich."

Sie stand entschlossen auf, ganz Amazone, die sich den Mann nahm, als Lust sie anwandelte. Der Fresslärm um uns erreichte uns nicht mehr. Sie schlenderte über den Hof, tat so, als wollte sie, was sie vergessen hatte, holen. Ich hatte mich jetzt ganz im Griff, saß auf der Bank wie ein Raubtier, zum Sprung auf die Beute bereit. Da fiel es mir grad noch ein, bevor sie nach dem Pferdestall hüpfte.

„Wie heißt du denn?"

Da wurde das Schlabbern und Schmatzen auf der Tenne unterbrochen, kreischend zerrissen! Ich hörte ihre Antwort nicht mehr! Die ganze Welt um mich brach auseinander!

Fünf, sechs Explosionen schleuderten den Krieg auf den Hof. Das Dach des Wohnhauses flog auseinander. Es fauchte heran, zerfetzte den Schweinestall. Die Mörsergeschosse zertrümmerten den schönen Bauernhof! Alles versank in Qualm, zerstob in fliegendem Dreck, aufspritzende Blitze zuckten dazwischen.

Wir hier am Tisch waren aufgesprungen und hechteten instinktiv unter das Stroh, in das Heu, was jeder am nächsten hatte. Die Kochgeschirre, noch halb voll, flogen vom Tisch, schepperten, Suppe verspritzend, über die Tenne.

Dann war völlige Stille. Nichts rührte sich. Zögernd krochen wir, Stroh und Heu überzogen, aus unsern Schlupfwinkeln. Der Feldwebel, aufgeregt wie ein Kindergärtner bei missratenen Sprösslingen, brüllte. Seine helle, sich überschlagende Stimme machte uns klar, wo's jetzt lang ging.

„Auf die Fahrräder! Dalli! Dalli! Sammeln auf dem Dorfplatz! Dann nach Westen! Immer nach Westen! Mir nach! Dalli! Dalli!"

Wir schüttelten uns wie Hunde und sahen uns um. Nichts brannte. Gott sei Dank. Nur aus dem aufgerissenen Dach des Wohnhauses stieg Qualm. Sah aus, wie der Rachen eines schnarchenden Kettenrauchers. Die Geräusche verursachten wohl die Bauersleute beim Löschen.

Jeder von uns rannte, zog aus irgendeinem Winkel sein Fahrrad, klemmte sich drauf, stemmte sich auf die Pedale und sauste ab, dem Feldwebel nach.

Ich war der Letzte.

Vergeblich sah ich mich um, suchte, hatte schon mein Fahrrad an mich gerissen, saß schon auf dem Sattel, da entdeckte ich sie. Ich hin zu ihr, wollte sie auf den Gepäckträger laden und dann ab mit ihr.

Ich stand dicht vor ihr. Und ihr Anblick lähmte mich. Schaudernd erkannte ich, was passiert war. Wenige Sekunden rührte ich mich nicht, war nicht fähig, mich zu bewegen.

Sie lag auf dem Pflaster vor dem Pferdestall, hatte die Tür nicht mehr erreicht. Den rechten Arm hatte sie hochgereckt, die Hand zum Fassen des Türgriffes gespreizt. Die ganze linke Gesichtshälfte, von der Schläfe bis zum Hals, war eine formlose, blutige Masse. Nur ihre schönen blauen Augen und ihr verführerischer Mund, völlig unversehrt, waren unnatürlich weit aufgerissen, in ungläubigem Staunen vor dem Grauen dieser Zeit.

Auf ihrem rotgelben Kleid war die linke Hälfte nur rot. Sie lag da, im eigenen Blut, das noch immer über die Steine floss, wie eine hingeworfene Puppe, wie ein ausgedientes Lumpenbündel. Ihre Füße, komisch verrenkt, waren nach innen geknickt.

Vor Minuten blühte hier noch ein glückliches Leben.

Ich wandte mich ab, trat in die Pedale, strampelte den anderen nach, dem Befehl des keifenden Feldwebels gehorchend, ließ eine „Verlobte" zurück und wusste nicht einmal ihren Namen.

GEFLÜSTER IN DER LETZTEN KRIEGSNACHT

Hoch am Himmel ging es lebhaft zu. Frühling war!
Weiße Wolkenballen, manche zerfetzt, zogen unruhig vorbei.
Immer wieder drängte sich die Sonne dazwischen und überstrahlte machtvoll die letzten grauen Lappen, die hier und da noch vor dem Firmament hingen und den Frühling nicht wahrhaben wollten.
Es wehte hier unten ein leichter Wind. Er fühlte sich warm an. Die Sperlinge hüpften aufgeregt im Straßendreck, zeterten und zankten sich um ihre Weiber. Die Schwalben segelten im Sturzflug um die Häuser. Im hellen Tageslicht frohlockte der Frühling.
Und auch dieses Dorf, hineingemauert in die altmärkische Erde, dicht am Ostufer der Elbe, hielt sich noch immer für einen Wallfahrtsort der Deutschen. War ER, der eiserne Diener des Mannes, der als Kartätschenprinz begann und dann auf Deutschlands Thron dahindämmerte, doch hier geboren. Nun aber hatte einer der letzten Gefechtsstände der Deutschen Wehrmacht in Bismarcks Schloss seine Zelte aufgeschlagen.
Ein schwergewichtiges Symbol fand hier seine umgekehrte Bedeutung.
Wir befanden uns mitten in der Agonie des Dritten Reichs, der kriminellen Persiflage der „Gottes-Gnaden-Monarchie". Es waren die letzten Zuckungen, in denen wir lebten, NOCH lebten.
Und schweigend stand das Dorf, wie sinnlos aufgerichtet, wie ein Freiluftmuseum. Ein Haus neben dem anderen, sauber, da war nichts defekt. Viele von ihnen keine hundert Jahre alt, manche erheblich älter, windschief – Einfamilienhäuser, Bauerngehöfte, gepflegte Straßen und Gärten …
… aber!
Das Dorf war verlassen!
Was mag in diesen Leuten vorgegangen sein? Sie waren sesshafte Leute, sahen nicht über ihren Acker hinaus.

Der Frühling sprühte seine frische Luft über sie, hätte sie auch durch seine Blütenpracht erheitern müssen. Zumal sie ein auserwähltes Dorf waren. Seit Otto von Bismarcks Tod fühlten sie sich, mittlerweile seit, na ja, doch mindestens seit so um die vier Generationen, als seine Nachlassverwalter, für oder auch wider Hitler … oder gar weder noch?

Und was war jetzt?

Wir waren vor Stunden herangerauscht, hatten ein Tempo drauf, das verdächtig nahe dem Charakter einer Flucht kam. Wir erwarteten hinter uns die Russen. Die hatten Berlin erledigt und wollten schnellstens an die Elbe. Unsern lächerlichen Haufen zu kassieren, fertig zu machen, war für die Russen keine Angelegenheit; sie würden uns wie lästige Fliegen mit einer Klatsche ins Jenseits befördern.

Alles schob sich nach Westen. Wir! Und die Russen!

Wir waren die Ersten, ganz klar. Wir saßen auf Lkws, Pferdegespannen und Fahrrädern. Wir fuhren im schnelleren Schritttempo – wegen der vielen Staus in den Dörfern und dorfähnlichen Städten ging's nicht anders. Immer nach Westen waren wir gefahren, hin nach der Elbe, dem Inbegriff der Rettung. Jetzt standen wir davor!

Die Zweiten waren unsere armen Frontschweine; wenn es sie noch gab. Sie liefen wie die Hasen bei der Treibjagd, schlugen Haken, duckten sich und wetzten los – nach Westen. Einige von ihnen waren wirkliche Helden, sie deckten die Flucht ihrer Kameraden und bekamen noch Fünf nach Zwölf von den Russen eine geplättert.

Wer in jedem Fall hinter uns war, ob als die Nächsten oder als die Übernächsten, waren die Russen. Und das bedeutete: rennen!

Wie dem auch sei, hinter uns, von Osten her, in Sichtweite, kam vorläufig noch nichts. Auch die Offiziere, die es besser wissen mussten, äußerten sich nicht.

Wir sahen nur den ausgestorbenen Horizont dahinten im Osten. Nur nach Osten schielten wir; suchten hinter den fernen Bäumen und Sträuchern, ob nicht irgendeine Bewegung sich näher schob. Uns plagte ein Bauchkribbeln, wie wir's oft als Kinder gehabt hatten, wenn wir auf dem Jahrmarkt vor dem Kaspertheater auf den Holzbänken saßen und auf den Räuberhauptmann warteten, der der Oma ihre Handtasche rauben würde. Wir kannten die Geschichte und wussten, dass dann der Kasper erscheinen würde, und alles würde wieder gut werden. Aber jetzt und hier gab es keinen Kasper.

Die Leblosigkeit umgab uns hier. Kein Zivilist weit und breit. Die hatten sich alle nach drüben, westlich der Elbe, verkrochen. Dort hatten die Amerikaner und Engländer ihrerseits den verfluchten Krieg beendet, hatten am Elbufer Posten aufgestellt und beobachteten unser armseliges Treiben, warteten auf ihren roten Verbündeten.

Auch wir hatten rings um das Dorf Posten aufgestellt; der Gefechtsstand unserer Abteilung, wo noch immer am geborstenen Rädchen das Kriegshandwerk aktiviert wurde, befand sich in Bismarcks Schloss. Der große Haufen von unserm kleinen Verein stromerte nichts tuend durch die Straßen und Gassen des Dorfs. Jeder suchte sich ein passendes passables Quartier.

Wir, mein Chef der Oberleutnant und ich, schlenderten wie Touristen, die sich Sehenswürdigkeiten ansahen, wie Ramscher beim Sommer- und Winterschlussverkauf, über eine breite Straße, die aus dem Dorf nach Osten führte. Auch wir waren auf der Suche nach einem Quartier. Eine Kollektion einladender Ruhekissen bot sich an.

Der Oberleutnant war wie ein Vater zu mir. Er wollte mich aus diesem elenden Schlamassel heil herausbringen. Das war mir längst klar geworden. Es konnte doch nur noch Tage dauern.

Er machte mich zu seinem Putzer, zu seinem Burschen. Ich hielt mich meistens immer in seiner Nähe auf.

Wir bummelten die Straße entlang. Ich trug unser Gepäck, zwei der üblichen Leinentaschen und einen ansehnlichen, ganz privaten Koffer mit der Offiziersgarderobe. Wir musterten die Häuser. Und der Oberleutnant traf schließlich die Entscheidung.

„Das wär' was für uns."

Der Oberleutnant wollte forsch die Gartentür öffnen, da kam der blutjunge Leutnant, den ich noch nie für voll genommen hatte. Der Leutnant baute sich vor dem Chef auf und grüßte zackig, linke Hand an die Hosennaht gepresst, rechten Arm vorgeschnellt und durchgedrückt, Hand flach gehalten, dass man ein Tablett drauflegen konnte, grüßte mit dem Deutschen Gruß, der seit dem Attentat auf Hitler auch für die Wehrmacht noch immer galt.

„Melde Herrn Oberleutnant! Posten an allen Ortsausgängen besetzt! Jeweils mit einem MG-Trupp! Vier Mann mit Panzerfäusten! Und Gruppenführer!"

„Danke!"

Der Oberleutnant grüßte mit dem verbotenen militärischen Gruß, indem er die rechte Hand an den Mützenschirm legte. Der Oberleutnant wandte sich wieder der Gartentür zu, da gellte die helle Knabenstimme des Leutnants, während ich leicht irritiert den Mund aufsperrte.

„Bitte Herrn Oberleutnant darauf aufmerksam machen zu dürfen, dass noch immer, seit dem Attentat auf den Führer, nur der Deutsche Gruß auch für Angehörige der Deutschen Wehrmacht Pflicht ist!"

Ich bekam meinen Mund nicht mehr zu. Und der Leutnant stand noch immer stramm und sah starr geradeaus.

Langsam drehte sich der Oberleutnant um und sah den Leutnant ausgesprochen gleichgültig, ja, mitleidig an. Auch seine etwas raue Stimme verriet keine Erregung.

„Ihnen scheint entgangen zu sein, dass ICH hier Staatsoberhaupt, Oberbefehlshaber dieses wenige Quadratkilometer umfassenden Deutschen Reichs und seiner dreihundert Mann starken Streitkräfte bin. Bei mir gilt der alte, bewährte militärische Gruß. Falls Sie, Leutnant, damit nicht einverstanden sind, wenden Sie sich an die Oberbefehlshaber der Gegenseite. Drüben, zwei Kilometer von hier, am Westufer der Elbe, steht zu Ihren Ehren das Empfangskomitee. Oder, was einfacher wäre, Sie bräuchten nicht über den Fluss zu schwimmen, da hinaus, nach Osten. Ja! Nach Osten! Immer nach Osten! Gehen Sie! Mann! Gehen Sie!"

Der Oberleutnant hatte die Gartentür geöffnet und stapfte schon die drei Steinstufen zur Haustür hinauf.

Der Leutnant, mit knallrotem Gesicht, taumelte zurück. Seine Lippen zuckten, Tränen bildeten sich in seinen schönen deutschblauen Augen, der Mund öffnete und schloss sich, wie im Fieber. Er brachte kein Wort heraus. Dann drehte er sich um, vergaß irgendeinen Gruß und wankte in eine Seitengasse.

Ich, hingerissen von dem für mich aufreizenden Vorgang, beeilte mich, mit dauerndem Blickwechsel nach dem Oberleutnant, nach dem Leutnant, den Anschluss an meinen Chef nicht zu verpassen.

Dann standen der Oberleutnant und ich vor der Haustür. Er drückte leicht dagegen.

„Nicht abgeschlossen."

„Leichtsinnige Leute."

„Nicht leichtsinnig, mein Junge. Die sind weitsichtig."

„Wieso?"

„Auch die hier haben gemerkt, dass wir mit Schuhen und Strümpfen fertig sind. Die begleichen bereitwillig die präsentierte Rechnung fürs Sieg-Heil-Brüllen. Drüben, jenseits der Elbe, keine zwei Kilometer von hier, sitzen sie jetzt und hoffen, dass die, die ihre Häuser plündern werden, die Türen nicht einschlagen. Es wären unnötige Kosten in der Nachkriegszeit."

Die Haustür war zurückgeschwungen. Und wir beide stapften ins Gebäude.

Alles sauber, aufgeräumt, alles an seinem Platz, ein Spieß vom Kommiss hätte seine wahre Freude gehabt. Und alle Türen

im Haus waren sperrweit geöffnet, alle Schubfächer aufgeschoben. Das war ungewöhnlich; es fehlte nur noch ein Schildchen: „Bitte, bedienen Sie sich!"
Wir wollen uns setzten, wollten es uns gemütlich machen. Eine dunkle Frauenstimme sprach uns an. Im Türrahmen nach dem Nebenzimmer stand eine. Ich sperrte wieder den Mund auf, eine Dame stand da. Ohne Frage! Eine Frau stand da! Elegant! Eine ausgewachsene Dreißigerin! Wie hergezaubert! „Ich hab mich schon einquartiert. Hier im Schlafzimmer." Der Oberleutnant und ich wollten uns gerade an den Küchentisch setzen, wir blieben wie angewurzelt stehen. Die peinliche Sekunde ging vorüber. Der Oberleutnant stellte uns vor. Ich grüßte, wie mein Chef, für meine Verhältnisse zackig. Die Dame teilte uns nur vage mit, dass sie aus Königsberg stammte und auf dem Weg nach Hannover zu ihrer Schwester war. Wir einigten uns schnell. Die Dame behielt das Schlafzimmer und wir begnügten uns mit ... das hieß, der Oberleutnant nahm das Wohnzimmer, ich bekam die Kammer neben der Küche. War wohl das Kinderzimmer. Und den Rest, Flur, Bad und Wohnküche, nahmen wir gemeinsam mit der Dame in Beschlag. Dann ging jeder, als ob man sich schon seit Jahren kannte, seines Wegs. Die Dame verschwand im Schlafzimmer und setzte das Einrichten ihres Krams fort. Der Oberleutnant marschierte nach Bismarcks Schloss und betrieb Aufräumarbeit seines Kriegshandwerks. Ich band mir eine imaginäre und symbolische Hausfrauenschürze um den Hals und arrangierte, ausgesprochen hausmännlich, eine karge Gemütlichkeit für meinen Chef.
Natürlich war mir längst klar geworden, dass wir, der Oberleutnant und ich, sofort weitergezogen wären, wenn die Dame ein Mann gewesen wäre, obwohl wir, mein Oberleutnant und ich, hier die Spitze vom Ganzen waren.
Unter diesem Gesichtspunkt plauderte ich mit der Dame, wenn wir uns im Flur, in der Küche, im Bad rein zufällig

trafen. Sie besorgte ihren Haushalt. Was ich besorgte, nannte ich auch Haushalt. Es war durch und durch alltäglich, haushälterisch zweckgebunden, was wir beide da sprachen. Wenngleich, die Dame sprach lebhaft, interessiert. Ich reagierte mehr einsilbig. Ich hatte die Augen meines Chefs gesehen, die waren wie die eines Hechtes vor dem Zuschnappen. Ich war damals ein schmuckes, fixes Kerlchen, das aber bei gefährlicher Übermacht schnell in sein Schneckenhaus kroch. Entsprechend verhielt ich mich jetzt.

„Sie sind der Bursche des Oberleutnants, wie?"

„Ja."

„Ist er streng?"

„Nein."

„Sie sind Gefreiter, wie? Der Winkel da am Ärmel."

„Ja."

„Wie alt sind Sie denn?"

„Achtzehn."

„Aha. Schmucker Soldat sind Sie. Muss ich schon sagen. Da hat der Oberleutnant einen feschen Burschen. Hat Ihnen noch keiner gesagt, dass Sie ein fescher Bursche, Soldat sind?"

„Nein."

„Na, na."

So plauderten wir dahin. Ich kam dabei nicht umhin, die Dame ausgiebig zu taxieren. Mein Gott, das war ein Ereignis von Frau. Bei der kam man nicht auf die Idee, eine Milchmädchenrechnung zu machen. Die produzierte Minderwertigkeitskomplexe – auf der männlichen Seite. Ich erinnerte mich an die Hechtaugen meines Chefs und hütete mich, aus meiner Rolle als kleiner Muschkote zu fallen.

Die Zeit verging und ich machte mich auf, gemäß meines Auftrags als Vaterlandsverteidiger, meinem Oberleutnant assistierend zur Hand zu gehen.

Am Abend gesellten wir uns, mein Oberleutnant und ich, im provisorischen trauten Heim zu unserer holden Nachbarin.

Draußen wurde es dunkel.

Wir saßen am Tisch in der Wohnküche. Der Oberleutnant, mit dem Fenster nach der Dorfstraße im Rücken, hatte auf der Längsseite des Tisches auf der Eckbank Platz genommen. Ihm gegenüber hatte es sich die Dame auf einem gepolsterten Stuhl bequem gemacht. Ich residierte an der Schmalseite des Tisches, mit dem Rücken zur Wand, hinter der sich „mein" Kinderzimmer befand, saß da wie ein Schiedsrichter oder Störenfried auf dem kurzen Ende der Eckbank.

In der Mitte des Tisches thronte eine Rotweinflasche, keine Ahnung, welche Marke, weil's mich nicht interessierte; war noch nicht in dem Alter, durfte aber mittrinken. Der Oberleutnant goss ein und wir stießen an.

Nach dem ersten Schluck tauten wir – ja, ja, ich weiß, ich übertreibe – tauten die beiden auf und eine Plauderei begann. Und sofort war da eine Spannung, die allbekannte zwischen Mann und Frau.

Ich war nicht der Mann, war ja klar. Ich sagte während der Plauderei kein einziges Wort, kam mir vor, wie nicht dazugehörig, wie nicht erwünscht. Ob ich wollte oder nicht, ich wurde zum Schiedsrichter. Die beiden saßen sich gegenüber und beachteten mich nicht, vergaßen mich. Mein Oberleutnant hatte alle seine Sinne Richtung Dame eingedreht. Das sah ich nicht nur an seinen Hechtaugen, ich hörte es auch. Er scharrte mit den Füßen, benahm sich wie ein Rennpferd vor dem Start. Die Dame ruhte routiniert in der Verteidigung, ihrer Mittel völlig sicher. Sie erlaubte sich hin und wieder einen Blickwechsel zu mir hinüber und bekundete damit, dass ich dazu gehörte.

Am Anfang legte mein Oberleutnant gleich forsch los, doch schnell schraubte er seinen Elan zurück; er hatte Fingerspitzengefühl. Das lag nicht an der katastrophalen militärischen Lage, die souveräne Haltung der Frau, der Dame, war der Grund.

„Was machen Sie, wenn alles vorbei ist, Herr Oberleutnant?"
„Die Frage ist nicht zeitgemäß, Gnädigste. Ich habe hier noch eine Aufgabe. Meinen Kindergarten heil aus dieser Schei..., heil über die Elbe zu bringen."
„Über die Elbe?"
„So wird es kommen ... wenn nicht noch im letzten Augenblick eine Sauerei passiert."
„Sauerei?"
„Noch sind wir eine Kampfgruppe der Deutschen Wehrmacht und stehen im Krieg."
„Krieg? Es kann doch nur noch um Tage gehen."
„Um Stunden."

Die zweite Rotweinflasche stand auf dem Tisch, hatte mein Chef hervorgezaubert. Das Gespräch bekam einen Knick.
„Aber, Gnädigste, da haben Sie ja schon allerhand durchgemacht. Von Königsberg? Mein Gott, das ist ja ..."
„Es war, als wenn die Russen nur MICH haben wollten ... an Danzig vorbei ... Kolberg ... Berlin ... bis hierher ... die Russen immer hinter mir her ..."
„So ganz allein ... als Frau ... Das ist tapfer ... ohne Ironie ... das ist stilles Heldentum ... ach ... was red' ich da ... es ist ja alles so trostlos ... so trostlos ... der Wein ... ist erstaunlich gut ... ja ..."
„Der Wein ist gut ... ja ... Welche Marke? Kein Etikett drauf ... woher haben sie den?"
„ Keine Ahnung ... werde den Fourier mal fragen ..."
„Nicht nötig."

Die dritte Rotweinflasche stand auf dem Tisch. Ich konnte die Augen nicht mehr aufhalten, denn ich hatte immer fleißig mittrinken müssen. Mein Oberleutnant goss immer wieder nach und ich trank, um nichts falsch zu machen, immer mit den beiden mit, war es allerdings nicht gewöhnt. Ich schloss die Augen, schlief aber nicht, zu aufregend war für mich die Situation. Ich befand mich in einem angestrengten Dämmerzustand.

Das Augenschließen hatte gewirkt! Der Oberleutnant schenkte der Dame und sich ein, mich überging er, ich schlief ja. Wollte er das erreichen? War er deshalb so spendabel zu mir? Vorsichtig erblinzelte ich aus minimal geöffneten Sehschlitzen die Szene. Da hatte sich nichts geändert. Vor mir stand mein Glas. Leer. Die beiden, noch getrennt, saßen auf ihren Plätzen, prosteten sich gerade zu. Dann plauderten sie wieder. Jetzt mehr gedämpft, gemurmelt.

Und die Plauderei machte wieder einen Knick. Natürlich seitens meines Chefs. Drängend flüsterte er jetzt. Und die Dame? Sie saß unverändert

„Nun hab dich nicht so ... der Kleine schläft ... komm ... wir gehen in dein Zimmer ... was ... was denn ... weshalb sprichst du nicht ... wir sind doch keine Kinder ... komm doch ...“

„Nein.“

„Wer weiß, was morgen ist ... alles ist aus ... Schluss ... wir sind jung ... wurden verdorben ... sind Mörder ... nur DAS haben wir erlebt ... sonst haben wir noch gar nichts erlebt ... wie Kinder ... nur das Schießen haben sie uns beigebracht ... nur das Schießen ... und den Klempnerladen dafür ... und keine Liebe ... keine Liebe ... komm doch ... wer weiß, was morgen ist ... bitte, komm!“

„Nein.“

So ging es, mir schien, es ging ziemlich lange so. Der brummelte etwas, das ich kaum verstand, das mir aber ausgesprochen drängend vorkam. Und sie, die Dame, war noch einsilbiger geworden. Aber es hörte nicht auf.

Und ich saß kerzengerade daneben, mit geschlossenen Augen und den Schlaf des Gerechten mimend.

Langsam wurde mir meine aufgezwungene, neutrale, untätige Position peinlich. Ich musste ja morgen meinem Chef wieder gegenübertreten, musste so tun, als ob ich nichts wusste. Na, das war was! Ich entschloss mich, meine peinliche Lage zu beenden, musste dabei aber geschickt vorgehen, schließlich war mein Chef Oberleutnant, war Offizier und ich sein Fallobst.

Zuerst bewegte ich die Hände ein bisschen, brummelte, schmatzte, verzog den Mund, bewegte sachte den Kopf und beendete diesen Vorgang mit einem dezenten Gähnen. Sofort verstummte meines Oberleutnants heißes Begehren. Wahrscheinlich beobachteten sie mich. Ich konnte es nicht feststellen, weil ich, aus taktischen Gründen, auf jeden Fall die Augen geschlossen hielt.

Ich schraubte mich hoch, immer mit geschlossenen Augen, wankte ein bisschen und murmelte dabei: „Schlafen ... ich muss schlafen ... schlafen!"

Schon war ich hinter dem Vorhang zum so genannten „Kinderzimmer" verschwunden. Schnell zog ich meine Stiefel aus, knöpfte den Waffenrock auf und legte mich aufs Bett. Es war ja noch Krieg, jeden Moment konnte es, wegen eines vorfühlenden russischen Stoßtrupps, Alarm geben.

Ein Weilchen blieb es drüben still. Vielleicht lauschten sie.

Ich lauschte auch.

Es war, als wenn es nicht weiterging. Dann setzte das drängende Flüstern meines Chefs wieder ein. Es folgte nach jedem längeren Drängen eine kurze, aber bestimmte Ablehnung der Frau. Das ging noch eine ganze Weile so.

Und ich lauschte, verstand zwar die Worte nicht, kannte aber die Situation und konnte mir dadurch alles zusammenreimen. Ich kämpfte mit, nein, gegen den Schlaf und konzentrierte mich aufs Lauschen. Die beiden da drüben kamen zu keinem Ende.

Da! Ein Geräusch! Endlich! Endlich tat sich da etwas!

Der Verursacher war der Chef! Ganz eindeutig! Da wurde der Tisch geschoben! Der Chef war wohl aufgestanden. Jetzt gingen feste Männerschritte, Offiziersstiefel, ganz klar! Der Oberleutnant war in sein Zimmer gegangen!

Ich rührte mich nicht, lag wie eine Leiche vor der Bestattung, kam gar nicht auf die Idee, mich zu bewegen. Und wieder herrschte für ein Weilchen eine beklemmende Stille. Ich stemmte mich noch immer gegen den Schlaf. Und meine Ohren waren nur auf Lauschen eingestellt. Da! Jetzt wurde ein Stuhl zurückgeschoben! Das war die Dame! Ganz klar! So schlurften geschobene Stühle! Das war die Dame, die den Stuhl schob! Da! Jetzt wurde ich hellwach, bewegte mich aber nicht und hielt tapfer die Augen geschlossen! Die Schritte, Schritte der Dame, näherten sich dem Vorhang vor meinem Kinderbettchen!

Ich drückte, kniff die Augen fest zu, damit sie nicht im falschen Moment sich öffneten!

Drüben, hinter dem Vorhang, keinen Meter von mir entfernt, zauderte die Dame noch für ein paar Sekunden! Ich glaubte, ihr heftiges Atmen zu hören!

Ich kam mir vor wie eine aufgebahrte Mumie, die auf ihren Höhlenforscher, gar auf den Grabschänder wartete. Nur meine Ohren spitzte ich erwartungsvoll, bereit zur Defloration! Dann hörte ich nichts mehr, keine Schritte, kein Schleichen, keine Bewegung, kein Atem. Schon wollte ich mich, jetzt enttäuscht, meiner Müdigkeit hingeben, da ... da schob sich etwas Warmes, Weiches über mich und flüsterte wie eine zärtliche Mutter: „Mein Kleiner ... ach, mein Kleiner ..."

FRAUEN IM NIEMANDSLAND

Diese beiden Tage werde ich mein Leben lang nicht einordnen können.

Ich spreche nicht vom Klima irgendwelcher Frühlings-, Sommer-, Herbst- oder Wintertage. Ich meine auch nicht das Begehen oder Missachten von Feiertagen. Mir kommt auch nicht in den Sinn, an die Tage zu denken, die für mich ganz privat von Bedeutung sind, Geburtstage, Hochzeitstage oder gar Beerdigungen. Ich spreche vom Charakter dieser beiden Tage und wie ich sie erlebte, mich in ihnen bewegte, wie ich sie ertrug.

Nehmen wir den ersten Tag: Er war der letzte Tag des Krieges. Letzter Tag des Krieges? Da bieten sich zwei diametrale Betrachtungsweisen an – eine für die Sieger und die andere für die Verlierer.

Für die Sieger ist die Situation simpel: Sie jubeln, saufen, nehmen sich Frauen, welche nehmen auch Knaben. Es interessiert sie nicht, ob sie sich in Feindes- oder in Freundesland amüsieren. Es ist Frieden, das tödliche Um-die-Ohren-Fliegen der Gewehrkugeln ist vorbei. Sie amüsieren sich. Zu Recht.

Ganz anders ist das Verhalten auf Seiten der Verlierer: Sie müssen die Sache des Friedens generell in den Griff kriegen. Sie sind nicht die Sieger. Die Angelegenheit des Kapitulierens, diesmal des bedingungslosen, muss geschluckt werden, trotz Halsschmerzen. Der Sachverhalt der Gefangenschaft ist zu verkraften, geht es doch nicht um einen Wochenendurlaub. Und die Umstände des Heimgehens erweisen sich meistens nur vordergründig als erlösend, zu oft steht man überraschend vor einem dicken Ende, was freilich auch den Siegern passieren kann. Die Verlierer jedenfalls werden so oder so und mit Sicherheit in grundverschiedene Situationen geraten, falls sie mit einem blauen Auge davonkommen und der Feind draußen vor der Tür stehen bleibt, die Landesgrenzen nicht überschreitet.

Diesmal aber ging's knüppeldick zu, diesmal änderte sich ALLES!

Und da war alles, aber auch alles … feindlich …

… nein, nicht feindlich …

… eher fremd oder wie abgestorben oder ohne Luft, obwohl Luft da war, man konnte noch atmen. Das war aber auch schon alles, was man konnte.

Man stand da, wie in ein Vakuum getaucht. Man empfand nichts mehr körperlich. Etwas Unwirkliches raste über einen hinweg.

So jedenfalls erging es mir …

… am letzten Tag des Krieges, einem der beiden Tage.

Sie hatten mich vor Sonnenaufgang ins Nachbardorf, vier Kilometer entfernt von hier, geschickt; der Gefechtsstand befand sich im Keller eines stattlichen Bauernhofes. Ich brachte den Befehl zum Abdrücken auf die andere Elbseite. Sie hatten es eilig. Als ich mich auf den Weg zurück machte, lief der Letzte schon über die Brücke.

Jetzt, am frühen Vormittag, stand ich wieder vor unserm Gefechtsstand, einer ehemaligen Molkerei. Alle waren weg. Keine Menschenseele ließ sich weit und breit sehen.

Am Zaun, einer typisch gusseisernen Konstruktion mit Wilhelminischen Speerspitzen und in verwitterter rostgrüner Farbe, lag ein weißer Pappdeckel, Reste eines Schuhkartons, auf dem stand mit einem dicken dunkelbraunen Farbstift geschrieben, dass ich nach einem Dorf, fast acht Kilometer östlich von hier, zu gehen und mich dort bei meiner Truppe zu melden habe.

Den Russen entgegen? Dahinten war die Front! Ohne Frage!

Auf dem Pappdeckel stand ein letzter Befehl! In diesem Augenblick entschied ich mich, aus dem Krieg auszusteigen!

Die Zeit ruckte weiter. Und ich stand jetzt auf dem Deich, am Ostufer der Elbe.

Elbe!

Sie war mein Heimatfluss. 40 Kilometer westlich von hier stand mein Elternhaus! Nahe Verwandte, Onkel und Tante, Vettern und Cousinen, wohnten an der Elbe. Als Kind besuchte ich sie häufig, planschte mit ihnen in der Elbe. Frösche quakten, vor dem Schilf standen die Reiher, unter gedrungenen Weidenstämmen, im Schatten dösten wir, und ruhig floss die Elbe nach Norden, quer durch Deutschland. Sie war das Herzstück meiner Heimat.

Was war sie jetzt?

Ich stand auf ihrem östlichen Deich. Hinter mir schob sich das dunkle Wasser an mir vorbei, drängte stumm nach der Nordsee. Wirbel spielten mit dem Fluss. Strudel warteten wie tückische Polypenaugen auf ihre Opfer. Der Fluss war feindlich geworden, böse. Er zerschnitt meine Heimat. Fürchterlich war dieser Schnitt. Was lag nach Westen hin nun noch dahinter? Dort stand jetzt der Feind. Feind? Realistisch gesehen standen da Fremde, die ich nicht kannte, die mir nichts taten, für die der Krieg beendet war. Da standen Fremde auf der heimatlichen Erde. Dort drüben gab es kein Deutschland mehr. Der Fluss zerschnitt erbarmungslos alle meine Hoffnungen, obwohl ich zur Stunde gar nicht daran dachte, mich mit irgendwelcher Hoffnung zu befassen. Am Westufer stand ein Dutzend Soldaten, Amerikaner oder Briten. Alle hielten sie Feldstecher vor ihre Augen. Die Gläser blinkten im Sonnenlicht. Sie beobachteten mich und winkten.

Ich kehrte ihnen den Rücken zu. Nicht aus betonierter Arroganz. Ich stand in einem Vakuum, war nicht fähig, einen Entschluss zu fassen, war gar nicht in der Lage, einen Gedanken logisch zu formulieren. Ich befand mich in höchstmöglicher Erregung.

Unter meinen Füßen spürte ich nicht die Erde, das Gras des sich lang hinschlängelnden Deichs. Ich spürte nichts, bewegte mich im Nichts. Und hinter mir rauschte die feindliche Elbe, der vom Wasser gekühlte Luftzug streifte meinen Rücken.

Vor mir sah ich ebene Felder. Die weite Fläche war ein einziger Brachacker, vielfältiges Unkraut wucherte schon da und dort, aber noch immer schimmerten die geraden Furchen, von Pflugscharen fein säuberlich gezogen und in der Ferne für das Auge perspektivisch zusammenlaufend. Zwei Dörfer duckten sich, klein wie Kinderspielzeug, gegen die dunklen Kiefernwälder, die im weiten Halbkreis einen ungewissen Horizont bildeten.

Ich strapazierte keinen fiebrigen Gedanken, was sich dahinter verbergen würde. Ich wusste es. Ich rechnete nur jede Sekunde, dass sie aus dem schwarzen Gehölz hervorbrechen mussten. Aber nichts rührte sich. Wann würde es geschehen? Nur darum ging es jetzt. Seit Stunden war um mich kein Leben. Kein Mensch zeigte sich. Nicht einmal ein Hund oder eine Katze schlichen herum. Ich war allein auf der Welt!

Dieser Stillstand allen Lebens ließ mein Herz wie rasend schlagen. Und die drüben am anderen Ufer durch ihre Feldstecher jede meiner Bewegungen musterten, registrierten, lebten in einer anderen Welt, hatten nichts mehr mit dem Krieg zu tun, zeigten offen ihre Friedfertigkeit, waren alles andere als mir ähnliche Menschen, waren nicht zu erklärende Phantome.

Nie war ich verlorener, verlassener als in diesen langen Minuten, die kein Ende fanden. Ich stand wie gelähmt, tatenlos. Dann überstürzten sich die Ereignisse! Russen! Sie brachen aus dem Wald hervor, hatten wohl sicherheitshalber minutenlang die Gegend vor ihnen nach noch möglichen schießwütigen deutschen Soldaten abgesucht. Möglich war das durchaus.

Zunächst erschien meinen Augen ganz hinten am Waldrand ein dünner, langer Strich, der stetig wuchs, fett anschwoll. Ich sah ein groteskes Bild! Eine Raupe, eklig dick, kroch seitwärts sich windend heran.

Aber schnell wurde das Bild realer, wurde tödlich aktuell. Da stolperten Hunderte von Rotarmisten auf mich zu! Sie wollten nach der Elbe!

Sie kamen immer näher. Endlich wachte ich auf, schreckte ich auf. Wie nach einem Alptraum. Ich stürzte vom Deich, hin nach der Elbe; ich vergaß ihre gefährlichen Strudel. Im Laufen riss ich mir die Klamotten vom Leib. Das war ein schicksalhafter Moment, der alle meine kommenden Überlegungen und Taten entscheidend beeinflusste!

In meiner Jackentasche stecken meine Wehrmachtspapiere! Und ich vergaß sie!

Nun stürzte ich mich, nur bekleidet mit langen Unterhosen, Strümpfen und einem langärmligen Militärunterhemd, noch ziemlich kühl waren die ersten Mainächte, stürzte ich mich in das kräuselnde, sich in tückischen Strudeln drehende, zügig vorbeischiebende Wasser der Elbe.

Ich kraulte aus Leibeskräften, hatte nur das westliche Ufer im Auge. Da sprangen kleine Fontänen vor mir auf. Sie schossen mich zurück! Und ihre westlichen Freunde am westlichen Ufer der Elbe beobachteten sie!

Dann lag ich auf dem nassen Sand einer Buhne, auf der östlichen Seite der Elbe! Ich lag auf dem Bauch, Beine und Arme hatte ich weit von mir gestreckt. Panik lähmte mich. Ich empfand nichts, obwohl fünf, sechs gedrungene, asiatische Rotarmisten um mich herum ihre Maschinenpistolen gegen mich drückten.

Es waren die Feldstecher, die vom Westufer der Elbe herüberfunkelten. Sie gaben den Ausschlag! Die asiatischen Soldaten schielten knurrend hinüber.

„Dawai!"

Ich rappelte mich auf, stürzte über den Deich und lief mehrere Kilometer im Sprinttempo über die kahlen Felder und immer Richtung Sibirien.

Auf einem Stoppelfeld vom letzten Jahr sackte ich total fertig neben zwei Flüchtlingsfrauen mit ihren drei Kindern zusammen; sie lagen mitten auf dem Feld und beachteten mich nur flüchtig. Ich war viel zu erschöpft, um sie zu beachten.

„Dawai!"

Die Russen auf ihren Panjepferdchen hatten auch vom Krieg die Nase gestrichen voll und winkten nur lässig. Ich taumelte hoch und stürzte weiter in Richtung Sibirien, schließlich in einen Straßengraben, längs einer Landstraße. Rüber auf die andere Seite. Ein kleines Haus, wohl für Tagelöhner. Schien verlassen. Am Rand des Dorfs. Da trat eine Frau aus der Tür. Ärmlich gekleidet und in undefinierbarem Alter. Sie gab mir zivile Klamotten.

Ich flüchtete in den Wald und trat nach einer Stunde aus ihm heraus, war nun Zivilist! Allerdings ohne Papiere!

Es war am Mittag des 8. Mai!

Ich ging, bestrebt, nicht aufzufallen, obwohl ich im militärisch auffallenden Alter kaum eine Chance hatte, unentdeckt zu bleiben. Mir wurde langsam klar, dass ich mich schnellstens verkrümeln musste. Aber wie?

Die Landstraße vor mir führte von Ost nach West. Eine Lawine von Menschen und Fahrzeugen aller Art bewegte sich Richtung Elbe. Panzer hinter Panzer. Dazwischen Frauen mit Kindern. Greise. Alle mit Karren, Fahrrädern, Handwagen, Kinderwagen. Dann wieder Panjewagen mit Panjepferdchen davor. Auf jedem Wägelchen hatten sich vier, fünf Soldaten bequem hingelagert. Sie trugen ihre sackähnlichen Proviantbeutel und die Maschinenpistolen locker um den Hals gehängt. Und alle kauten auf Sonnenblumenkernen. Und Lastkraftwagen zuckelten vorbei – meistens viereckige Kästen, auch moderne amerikanische.

Das war ein Trubel. So ähnlich stellte ich mir eine Völkerwanderung vor. Nein, nicht Völkerwanderung. Dieser chaotische, unkontrollierte Trubel glich dem Run auf ein Kaufhaus bei gegenwärtigen Sommer- oder Winterschlussverkäufen, von denen ich damals freilich noch keine Vorstellung hatte. Schon in wenigen Stunden, spätestens morgen würde es hier ganz anders aussehen! Überall Kontrollen! Für mich lebensgefährlich!

Da kam eine Feldküche, von zwei Panjepferdchen gezogen. Sie fuhren rechts ran, kamen zum Stehen, direkt vor mir. Die Kerle machten den großen Deckel auf; mir schien, es war eine unserer Wehrmachts-Gulaschkanonen. Prachtvolles Stück! Im Vorbeigehen schielte ich über den Kesselrand. Mein Gott! Was für eine Suppe! Fett! Speckbrocken schwammen darin! Und wie sie roch! Mein Magen knurrte aufgebracht. Ich ging aber über Ackerfurchen hinter dem Straßengraben, wie alle Flüchtlinge, ich ging mit scheelen Augen vorbei.

Meine Stielaugen peilten nicht nur nach der Suppe, auch russische Suchtrupps, die nach deutschen Soldaten schnüffelten, interessierten mich – vor allem sah ich nach ihnen. Mir war klar, dass ich mich in einer ziemlich brenzligen Situation befand. Wenn die mich erwischten, ohne Papiere, war ich, ein Werwolfverdächtiger, geliefert. Und die suchten jetzt jeden Millimeter eroberten, ehemals deutschen Bodens ab. Und ich benahm mich, als ginge mich der Krieg hier in Feindesland nichts an.

So unauffällig wie möglich trottete ich zwischen Frauen, Kindern und Greisen nach dem Dorf, in dem ich gestern noch den großen, wenn auch ernüchterten Krieger spielte. Auf der Straße marschierte die Rote Armee; ich sah auch hin und wieder grüne Mützen.

Regelrecht hingeschoben wurde ich. So gerieten wir in das Dorf. Hier verstreute sich alles. Ziellos gingen alle. Nur nicht die siegreichen Russen.

Mitten im Dorf stand ich, am Rand einer engen Kreuzung von zwei Durchgangsstraßen. Weitergehen hatte keinen Zweck. Vorläufig wollte ich auf keinen Fall an die Elbe. Mir wurde klar, dass ich glatt einen Monat warten musste, um rüber zu kommen. In jeder Hinsicht erschöpft stand ich am Rand der Kreuzung, begutachtete nachdenklich einen vorbeirasselnden T 34.

Ich konnte mich nicht entscheiden, wusste aber, dass ich hier nicht bleiben konnte. Verunsichert sah ich dem Panzer nach, wie er mit quietschenden Gleisketten nach der Elbe rasselte. Und viele Rotarmisten sah ich kommen.

Schnell verdrückte ich mich in die erstbeste Hoftoreinfahrt. Ich sah nur einen sauberen mit Natursteinen gepflasterten Hof. Kein Mensch zeigte sich. Hastig klemmte ich mich hinter eine Tür. Ich wartete. Jetzt spürte ich, dass ich durstig war, völlig eingetrocknet war der Gaumen und ich hatte Schluckbeschwerden. Das trieb mich zur Verzweiflung, aber es half nichts, ich musste hinter der Tür aushalten, bis ein Trupp Rotarmisten, die am Hoftor herumschnüffelten, weiterging. Die Minuten wurden endlos. Und hinter mir drückte etwas Hartes, Spitzes gegen meinen Rücken.

Die Russen waren weg. Ich drehte mich um.

Ein Wasserhahn! In der Stallmauer hatten sie einen Wasserhahn angebracht! Eigens für mich! Ich soff mich satt, das Wasser lief mir aus den Mundwinkeln, übers Kinn, weichte auf meiner Brust Hemd und Jacke auf und kühlte so wohltuend meine Haut. Ich sah mich um. Ein ganzes Dutzend Schweinekoben breitete sich vor mir aus. Und überall grunzten, schmatzten Säue mit ihren quiekenden Ferkeln. Auch stramme Metzgerkandidaten mieften im Stroh. Es stank schweinischländlich, wie im tiefsten Frieden.

Ich schwang mich über die brusthohen Schweinestallwände, lief einen Gang entlang, fand rein zufällig eine in die Wand eingelassene Eisenleiter, turnte hoch, weil ich mich instinktiv unter dem Dach sicherer fühlte. Dann stand ich auf den Brettern des Dachbodens über dem Schweinestall.

Ich staunte, war sprachlos! Damit hatte ich nicht gerechnet! Da lagen auf den blanken Brettern, wie die Heringe, dicht bei dicht, Menschen. Flüchtlinge! Leute, die nicht wussten, wohin. So kamen sie mir vor. Ich wusste ja auch nicht, wohin. Auch, unverkennbar, Soldaten sah ich. Ehemalige deutsche Soldaten. Hier lagen an die hundert Leute wie herrenloses Vieh. Und ich legte mich zu ihnen.

Durch die Dachluke sah ich, dass sich der Himmel verdunkelt hatte. Alle Zeitbegriffe waren mir abhanden gekommen. Wir lagen und warteten auf die erste ... von Frieden konnte man überhaupt nicht reden ... wir warteten auf die erste Nichtkriegsnacht.

Es wurde eine gespenstische Nacht.

Ich glaube, es schlief niemand. Wir lagen da, hellwach, wie auf einer Schlachtbank und lauschten. Es wurde auch gesprochen, gedämpft, mehr gemurmelt. Es gab auch welche, die beschäftigten sich ausgiebig und unzeitgemäß oder ... na ja ... als Ersatz für ein letztes Gebet ... das war ein Keuchen und Stöhnen ... und die Bretter wackelten und knarrten rhythmisch ... und draußen lauerte das nächtliche Dorf! Dort schrien die Frauen. Mehrere und in Abständen, die ganze Nacht. Es war schaurig. Es war grausam.

Beklommen lauschten alle. Keiner rührte sich. Auch die Bretter hatten zu knarren aufgehört. Lähmende Stille ersehnte den Morgen. Ich hörte das Atmen der Menschen – wie leises Meeresrauschen. Und draußen schrien die Frauen.

Dann endlich, wie eine Erlösung, regte sich der Morgen. Die Sonne schickte eine graue Dämmerung voraus, die Nacht wich dem Tag. Auch das Schreien draußen im Dorf hatte aufgehört. Jetzt war Totenstille, auch das Atmen der Menschen um mich herum hörte ich nicht.

Hier auf dem Dachboden verhielten sich alle ziemlich bedrückt, jeder blieb für sich, keiner sprach mit seinem Nachbarn. Und nur ganz vereinzelt vernahm ich leise stockendes Murmeln, fast wie geflüsterte Selbstgespräche. Da kreischten draußen die Ketten eines Panzers, russische Laute drangen herauf. Die Sieger waren aufgestanden.

Es begann der zweite Tag der besagten beiden Tage, die ich mein Leben lang nicht würde einordnen können.

Alle hier auf dem Dachboden erstarrten.

Eine ältere Frau, sie konnte meine Oma sein, stand neben mir. Vielleicht stand, lag sie schon die ganze Nacht in meiner Nähe. Sie drückte mir wortlos einen Apfel und einen Brotkanten in die Hand. Jetzt spürte ich den Hunger. All die Stunden hatte ich nichts, rein gar nichts gespürt. Ich nickte der alten Frau dankbar zu. Sie sah mich ängstlich und bittend an. Ich begriff. Sie suchte Schutz.

Ich aber witterte wie ein Kojote, schnupperte wie ein Schakal. Ich roch die Gefahr. Hier konnte ich nicht bleiben. Ich stahl mich grußlos davon, gefolgt von dem ängstlichen, verzweifelten Blick der alten Frau.

An der Mauer des Stalls schlich ich entlang, passte höllisch auf, wenn Russen herumstanden. Noch war kein Mensch zu sehen.

Menschen? Menschen waren Russen, andere Menschen waren in dieser Stunde keine Menschen, jedenfalls nicht hier in diesem Dorf und nach meiner Auffassung. Ich dachte schon, ich schlich im tiefsten Frieden eines sonntäglichen Frühlingsmorgens. Da hörte ich Schritte! Ganz hinten, vom Ortsausgang her, wo ich hin wollte! Ein Haufen Russen! Eine ganze Kompanie!

Ich verschwand auf einen großen Bauernhof. Den kannte ich! Hier hatte die Nachbarbatterie unserer Sturmgeschützabteilung unten im Keller des Wohnhauses ihren Gefechtsstand.

Die Russen kamen die Straße herauf.

Und ich stand in einem Kuhstall.

Ich drückte mich an die Wand und schielte durch das kleine verdreckte, von Spinnweben überzogene Glas. Da zogen sie auf der Straße vorbei. Käppis auf den meist kahlen Schädeln, auch Mützen, welche grün. Und um jeden Hals hing eine Maschinenpistole, auf jedem Rücken klebte der typische Proviantbeutel. Hinter mir knisterte Stroh oder Strohähnliches, aus dunklem Schlund kullerte dumpfe, wiederkäuende Zufriedenheit, roch es, was ich erst jetzt roch, ausgesprochen kuhmistig. Ich drehte mich um.

Da standen an die zwanzig Kühe! Der Bauer selbst oder Leute von ihm waren offensichtlich nicht nach drüben abgehauen, betreten das Vieh. Ebenso war's wohl auf dem Bauernhof mit den Schweinen, ebenso würde es wohl bei den meisten Gehöften sein.

Ich stahl mich auf den Hof. Frische Luft atmete ich. Kein Mensch trieb sich hier herum. Drüben das Scheunentor stand sperrweit offen. Ein seltsamer, jetzt aber normal gewordener Anblick! Die Scheune war proppenvoll. Entwurzelte Menschen, wie ich, hatten sich da versammelt.

Ich ging hin.

Die ganze Scheune, bis in den letzten Winkel, war mit Menschen vollgestopft. Sie lagen auf dem Stroh, das sie ballenweise runtergezerrt und bis an das weit geöffnete Tor ausgebreitet hatten. Sie lagen teilnahmslos auf dem Stroh. Viele Frauen mit Kleinkindern sah ich. Alte Leute und Schulkinder, manche ohne Begleitung eines Erwachsenen, und ehemalige Soldaten der Deutschen Wehrmacht, aller Waffengattungen, auch Matrosen entdeckte ich. Sie sahen abenteuerlich aus. Orden, Rangabzeichen, der ganze Klimbim war futsch. Sie sahen aus wie entlaufene Kriegsgefangene.

Ich legte mich ganz vorn am Scheunentor aufs Stroh, um das Hoftor und die Straße dahinter immer im Auge zu haben. Ich hatte nicht vor, hier zu bleiben. Das wurde mir sofort klar. Nur kurz ausruhen wollte ich, Luft schnappen, das Herz ruhiger schlagen lassen. Wenn hier die Russen filzen würden, war ich geliefert.

Neben mir lag eine junge Frau. Na, sie schien mir eindeutig älter als ich, so um die dreißig herum. Sie kauerte im Stroh mit einem vierjährigen Jungen, der ihre Augen hatte, der aber im Vergleich zu seiner Mutter zu dick war. Ein altes Damenfahrrad, ich schätzte das Baujahr auf vor 33, lag neben ihnen, war mit dem kargen Gepäck ihr letztes Eigentum. Ein pralles Bündel, mit einer Wäscheleine verschnürt, eingewickelt in einen ehemals weißen Bademantel, an dem jetzt die Flecken der Flucht hingen, glich mehr einer Urlaubsausrüstung als dem letzten Hab und Gut. Sie hatte alles auf dem Gepäckträger mit Wäscheklammern und Bindfäden festgebunden. An der altmodisch geschwungenen Lenkstange hing noch eine Kunstledertasche, die, wie ich jetzt erst sah, dem pausbäckigen Knaben als Kopfkissen diente.

Ich bemerkte sie erst, nachdem ich meinen absichernden Rundblick abgeschlossen hatte.

Die Frau sah aristokratisch aus, jedenfalls was ich unter „aristokratisch" verstand. Ein Kunstmaler hätte vielleicht gesagt: klassisches Modell, wie eine englische Lady.

Weshalb sie nun ausgerechnet eine englische Lady sein sollte, konnte ich nicht erklären, ich war kein Kunstmaler. Schmaler Schädel, langes Haar, das am Ende, ganz kurios, mit einem schwarzen Samtband nach hinten zusammengeknotet war, weil es ungebunden herumflattern würde, und das wäre bei der Flucht nur hinderlich, wäre, abgesehen von unzeitgemäßer Geschmacksverirrung, auch nicht ratsam: Man trug auf der Flucht nichts Auffallendes, zumal die dunkelhaarige Dame, nach meiner Vorstellung, eher eine Französin sein musste.

Auch ihre Garderobe unterschied sich von der Kleidung der anderen weiblichen Wesen, die hier erschöpft, abgestumpft und gleichzeitig mit vor Angst weit aufgerissene Augen herumlagen. Meine Dame machte mir den Eindruck, als hätte sie nichts Gröberes, nichts Strapazierfähiges, nichts weniger Auffallendes. Das Kleid, dunkelbraungrau, zart geblümt mit dunkelroten Rosen, hatte ohne Zweifel eine besondere Qualität. Ich hatte ja keine Ahnung, sie machte aber den Eindruck, als hätte sie noch bessere im Schrank.

Die Frau saß isoliert im Stroh, obwohl dicht neben ihr andere Leute kauerten. Nur sie, ihr vierjähriger Sohn und das voll gepackte Fahrrad bildeten, wie soll ich sagen, eine Interessengemeinschaft, einen Schutz- und Trutzbund. Und es sah aus, als wollte sie, die Dame, selbst diese Isolierung. So kam es mir vor. Das spürte man. Sie hatte etwas Hohes, Majestätisches, Distanzierendes an sich. Vielleicht war sie eine Gräfin, eine Künstlerin, gar ein Filmstar.

Ich musterte sie, weil sie mir auffiel. Ich sah in ihr etwas Exotisches. Ich ertappte mich, dass ich immer wieder zu ihr hinschaute.

Das bemerkte sie endlich und reagierte nervös. Aber nur kurz. Dann sah sie mich freundlich an.

Wir wechselten keine Worte, nur unsere Augen unterhielten sich. Da war nichts Typisches zwischen Mann und Frau. Ich reagierte nur, eher wie ein Straßenbahnschaffner, der belanglose Antworten gab. Sie war freundlich bemüht, nicht aufdringlich zu wirken, mehr so, wie beim gemeinsamen Betrachten einer nicht weltbekannten Sehenswürdigkeit und mehr so zufällig im Vorübergehen.

Schon schien das Augengespräch zu verlöschen, da geschah die Wende.

„Ob wir hier sicher sind? Ich weiß nicht."

„Ich auch nicht."

Dann schwiegen wir wieder. Jeder verarbeitete die Ratlosigkeit, die Hilflosigkeit und kam zu keinem Resultat.

„Am Tag werden sie wohl nicht kommen."

„Wohl nicht."

„Aber weiß man's?"

Ja, das war die Frage. Wir wussten es nicht. Wir befanden uns unter einem zusammengeballten Gewitter, das jeden Augenblick losschlagen musste.

Die Frau wurde immer nervöser, kämpfte mit der nackten Angst, sah keine Chance, einem grausamen Schicksal zu entkommen.

„Aber nachts!"

Ich wusste nicht, was ich darauf antworten sollte und schwieg. Nach einer Weile kroch die Frau ziemlich dicht an mich heran, durchbrach ihre eigene Isolation. Ich sah sie erstaunt an, war irritiert, weil ich nicht wusste, wie ich mich verhalten sollte. Ihre Nähe trieb mich nicht, wie üblich, wenn Weibliches sich so näherte. Mir war es unangenehm, weil sie verzweifelt war und ich mich in Gedanken schon nicht mehr in der Scheune befand. Ihre Augen glühten fiebrig, rotgerändert durch tagelange Schlaflosigkeit. Sie öffnete ihren schmalen Mund, der noch immer in schöner Vornehmheit reizte. Es perlten völlig dialektfreie, kultiviert vorgetragene Worte, die die vorherrschende Verzweiflung verharmlosten: „Man hat ja so viel schon gehört. Grausames. Entsetzliches. Und jetzt sind sie hier, können jeden Augenblick ..."

„Ja."

Mein „Ja" hatte sie nicht gehört, weil sie, von Panik gejagt, nach dem Hof schielte. Dann sah sie mich wieder an und wartete, dass ich sprach. Aber ich schwieg. Jetzt presste sie ihre schmalen Lippen fest zusammen, als müsste sie einen Gedanken, den sie dachte, selbst erst einmal akzeptieren. Ihre Augen funkelten, verrieten eine große Überwindung. Mehr geschah nicht. Dann brach es aus ihr heraus, aber sie sprach leise, wegen der anderen: „Bleiben Sie hier! Bleiben Sie bei mir! Bei meinem Kind! Bitte! Bleiben Sie die Nacht bei mir! Ich bitte Sie! Ich bitte Sie um Hilfe! Ich ... ich ..."

Als ob ich helfen konnte, ein wirklicher Schutz war. Ihre Erregung versickerte in ein ohnmächtiges Schluchzen. Ich saß steil aufgerichtet, war voller Abwehr, weil mich selbst die Angst trieb. Da knallte eine helle Frauenstimme dazwischen, mit der Keckheit eines dreisten Mädchens: „Milch für Erwin! Eier! Und Speck! Herz, was willst du mehr!"

Wie hergezaubert stand ... ich musste zwei Mal hinsehen ... da stand die Frau mit dem vierjährigen Jungen und dem Fahrrad noch einmal. Na gut, in jüngerer Ausgabe. Aber die Augen der Frau, des Jungen und des Mädchens ähnelten sich auffallend. Sprachlos sah ich hin und her. Die Frau klärte mich auf: „Meine jüngere Schwester."

Sie sagte „jüngere" mit einem vornehmen und zurückhaltenden, doch auch deutlichen Vorwurf. Ich stand auf, eine Art Rest-Reflex zivilen Verhaltens und gleichzeitig Einleitung zum Aufbruch, bekam aber noch immer meinen Mund nicht auf, was die jüngere Schwester zum Anlass nahm, klärende Worte zu finden. Sie tat es unbekümmert, ganz dem schönen Maitag, dem neunten, hingegeben.

„Der Kapitän hat eine Kammer für uns frei! Drüben im Schloss! Nun hab dich nicht so, Gundula! Der Adjutant vom Kapitän ist doch ein schmucker Junge! Für den Leutnant wirst du doch ein bisschen Liebe aufbringen! Und dann sind wir in Sicherheit, Gundula!"

Ich räusperte mich, nicht, um damit meine Einstellung zur Äußerung der Jüngeren zum Besten zu geben. Ich wollte weg.

„Muss weiter! Hab keine Papiere."

Die beiden Frauen sahen mich mit großen Augen an. Ich nickte einen kurzen Abschiedsgruß und drückte mich aus der Scheune. Ich hatte es mir reiflich überlegt. Ohne Papiere musste ich hier im Dorf in absehbarer Zeit in einer Katastrophe landen. Dauern trieb mich dieser Gedanke. Die Russen würden nicht viel Federlesen mit mir machen und ausgerechnet mich rücksichtsvoll behandeln. Ich wäre mit Sicherheit ein Werwolf gewesen. Ich musste raus aus dem Dorf! Und zwar sofort! Irgendwo, wo keine Menschen sind, musste ich einen Unterschlupf finden. Außerhalb des Dorfs. Sonst ging es ab nach Sibirien.

Ich lief über den Hof und verschwand wieder im Kuhstall, drückte die Stalltür nach der Gasse hintern Bauernhof vorsichtig auf und peilte die Lage. Das Pflaster vor mit lag wie ausgestorben. Nur raus! Und weg hier! Noch einen Blick nach hinten zu den gleichgültig kauenden Kühen, und ich schlich mich davon.

Raus aus dem Dorf!

Am Dorfrand hielt ich an, vergewisserte mich minutenlang, ob ich's wagen konnte. Auch auf den Elbwiesen bewegte sich nichts. Russen würden heute, am ersten Siegestag bestimmt nicht da draußen herumkriechen. Wäre für sie zu gefährlich, wie sie bestimmt glaubten. Sie vermuteten hinter dem Strauch, hinter jedem Holzschuppen einen wildentschlossenen Werwolf. Ihr Verhalten war zu verstehen; wer wollte halbbesoffen und Fünf nach Zwölf noch eine geplättet kriegen. Die vier Kilometer zwischen den beiden Elbbrücken waren ein ideales Gelände, um unterzutauchen.

Dahinten stand die Feldscheune. Mitten in den Elbwiesen. Wo noch am gestrigen Morgen ein Posten unserer Batterie gestanden hatte. Da musste ich hin. Das schien mir ein todsicheres Versteck.

Nichts wie hin!

In der Feldscheune hielten sich fünf, sechs Leute auf. Alle waren total verunsichert.

„Also, hier bleibe ich nicht. Viel zu gefährlich."

„Gefährlich?"

„Ist ein exponierter Punkt. Hat die Russen im Dorf längst neugierig gemacht."

„Du meinst?"

„Morgen, spätestens übermorgen, wenn sie wieder nüchtern sind, kommen sie. Da wette ich."

Das genügte mir. Ich hastete weiter, geduckt, immer wieder sichernd, in erprobter Landsermanier. Von Strauch zu Strauch. Manchen Maulwurfshügel hielt ich für einen Russen. Immer weiter. Von Gebüsch zu Gebüsch. Weit hinter mir lag das Dorf. Immer weiter. Dahinten war nichts als Wald. Viele Kilometer nur Wald. So weit das Auge reichte.

Ich lief geduckt in einem Straßengraben. Immer Richtung Wald. Die Landstraße tauchte in den Wald. Ich sprang über Brachacker, wie ein Luchs auf der Fährte, machte einen Bogen um einen verfallenen Holzschuppen, dachte längst nicht mehr daran, zu schleichen, nach Russen Ausschau zu halten. Ich roch wie ein Raubtier, dass ich allein war.

Nach zwei Stunden erreichte ich den Wald!

Drüben im Westen, wo in einigen Stunden, es war mittlerweile später Nachmittag geworden, die Sonne untergehen würde, wusste ich mein Heimatdorf, keine vierzig Kilometer entfernt. Dort saßen die Engländer, nahm ich an, oder Amerikaner. Auf keinen Fall gab es dort noch ein Deutschland. Und hier? Hier war überall nur russische Erde.

Dann verschluckte mich der Wald für viele Wochen.

Und zwei Tage waren gewesen, Tage, die ich mein Leben lang nicht würde einordnen können.

Der Autor
F.H. Beens –

geboren 1926, am 4. Juli.
Nach der Schulzeit begann er seine Lehre in den Junkerswerken in Halberstadt und arbeitete im Rüstungsbetrieb während des 2. Weltkrieges.
Es folgte ein halbes Jahr Reichsarbeitsdienst und die Zugehörigkeit zur Division „Scharnhorst"
Da er zeitweilig keine Ausweispapiere besaß, „verkroch" er sich elf Wochen im Forst von Schönhausen.
Nachdem er sein Abitur nachgeholt hatte, studierte er vier Semester Germanistik und Geschichte sowie drei Semester Schauspiel und Regie.
Sein erstes Engagement fand er im Salzlandtheater Staßfurt, danach im Ensemble des National-Theaters, wo er sich die „Finger verbrannte" – Flucht war die Folge.
Mit seiner Frau „Bitti" und seinen zwei Kindern lebte er zwei Jahre in der Eifel in Armut.
Verschiedene Engagements führten ihn später nach Neuwied, St. Gallen, Bern, Linz, Ulm, Ingolstadt und Augsburg.
Seinen Weg bis zur Rente säumten Rollen u.a. als Helden, „Charaktersau" und Komiker.

F. H. Beens

... also sprach Hihi
– eine Kintopp-Geschichte –

Die Klappe fällt. Es gibt einen hölzernen Knall. Das Licht blendet auf. Keusch und hellblau spannt sich der Himmel. Lupenrein ist die Luft, kein Stäubchen, keine Kondensstreifen, ja, auch keine dreckigen, regenschwangeren Wolkenknäuel beschmutzen den Blick.
Erst leise und fern, geflüstert, weht ein „Hihi" heran. Nur Sekunden vergehen, laut und hautnah, auch drohend drückt das Echo „Hihi" gegen die empfindlichen Ohren.
Der Schwenk trifft die moderne Brücke über dem mit gewaltiger Kraft dahinreißenden Strom. Weit geschwungen wirken die stählernen Taue am hohen Mast, an breiter Fahrbahn aus der Distanz, wie zarte Fäden eines Spinnenwerks.
Unter der Brücke strömt das rostig-grüne Wasser; hier begreift der Mensch seine Ohnmacht.
Trotz der unbändigen Wucht fließt das Wasser ruhig. Die sich kaum andeutenden sanften Wellen verraten alles um sich mit ignorierendem Gleichmut.
Da spritzt Wasser auf, es ist die hoch schießende, dann in sich zusammenfallende Fontäne eines geworfenen faustgroßen Steins. Es kläfft „Hihi", kläfft ausgelassen, frech, am Rand der Albernheit ...

9,60 Euro • ISBN 3-86634-087-7
Paperback • 100 Seiten

F. H. Beens

Bitti und Fritze
und ihre
wetterwendische
Geschichte

„Bitti und Fritze" ist keine Autobiografie, obwohl sie die Grundlage des Romans ist. Aus kleinbürgerlicher Sicht, naiv, auch mit einem Schuss eulenspiegelschen Schalk läuft die Geschichte des 20. Jahrhunderts ab.
Die teils komödienhaften Anekdoten beruhen auf Tatsachen. Hervorzuheben ist, dass das Verhalten der Erwachsenen in jener Zeit *heute* nicht mit Häme zerrissen wird, sondern der kritischen Ironie des Autors unterliegt.

29,50 Euro • ISBN 3-938227-98-2
Hardcover • 524 Seiten